Les Chemins de Malefosse

LA VALLÉE DE MISÈRE

TOME 3

Je confesse tendresse et admiration pour **Les Chemins de Malefosse** de Daniel Bardet et François Dermaut. D'abord parce qu'ils ont compris, comme l'écrit Bardet dans son article sur Henri IV, que le meilleur scénario, c'est l'histoire. Ensuite, parce qu'ils ont choisi dans l'Histoire de France, un des moments les plus fascinants : les Guerres de Religion qui ravageaient le pays dans la seconde moitié du XVIe Siècle. Enfin, parce qu'ils ont choisi d'adhérer au principe qui m'a guidé dans l'écriture de **Fortune de France** : un récit historique n'est crédible que s'il est conté dans la langue du temps.

Toutefois, si je considère que **Bardet** et **Dermaut** sont quelque peu mes disciples (d'où la tendresse dont je fais état plus haut), j'admire leur originalité. Les dialogues du scénariste sont vifs et verveux, sa caractérisation excellente, son invention fertile.

Quant aux dessins de Dermaut, je ferai d'eux un grand éloge en disant qu'ils sont toujours très fins. J'entends par là qu'ils révèlent un souci de la beauté formelle qui transparaît jusque dans la peinture de l'horreur.

Dermaut témoigne ainsi d'un grand respect pour la nature — sensible dans ses paysages, toujours très artistiques — et aussi dans sa représentation du corps humain, en particulier du corps de la femme.

Au contraire de certaines BD, la collaboration du scénariste et du dessinateur se justifie ici par la consanguinité des deux tempéraments. Bardet et Dermaut ont beaucoup de choses en commun : la joie de vivre, le goût de la vérité, la paillardise, et l'amour du métier.

Celui-ci est visible partout. Bardet pousse très loin sa documentation. Et Dermaut en ses dessins se montre tout aussi soucieux du détail juste dans la reconstitution des maisons de l'époque, des costumes et des armes.

Ce soin a été récompensé par une remarquable réussite : **Les Chemins de Malefosse** est non seulement une BD de haute qualité, mais un monument assuré de durer et qui sera visité longtemps par tous ceux qui, en se divertissant, ne dédaignent pas de s'instruire.

Grosrouvre, le 4 octobre 1985

ROBERT MERLE

De gauche à droite :
Magali Merle, François Dermaut, Robert Merle,
Daniel Bardet et Amélie.

REÎTRE, UN SONGE S'EST POSÉ ET FORT MÉCHANTEMENT
EN SUEUR, SUR TON FRONT, BIENTÔT BRÛLANT DE FIÈVRE
CAR LA CAMARDE* EST LÀ, SON GRAND RIRE AUX LÈVRES.
SI SON HEURE N'EST PAS TIENNE, ENCORE, AU CADRAN.
CETTE NEUVE COMPAGNE, BIEN TROP SOUVENT CROISÉE
EST, D'UNE VIOLENTE AMOUR, À TES PAS ATTACHÉE.
PUISQU'AU PARTIR VIENDRONT DES TOURMENTS TRÈS FÉROCES
VIENS-T'EN, GUIDÉ PAR ELLE, JUSQU'EN **MALEFOSSE** !

DESSINS : F. DERMAUT
SCÉNARIO : D. BARDET

À L'AUBE, ON QUITTE GISORS. LE MONT DE MAGNY FRANCHI,
LA GUERRE EST LÀ, EN RAVAGES, PRÉSENTE ...

LANSQUENETS, QUE DIEU S'IL Y CONSENT,
OU LE DIABLE, VOUS GARDE !

MA MONTURE NOUS MÈNE UN TRAIN DE BOITEUX! VOYONS ÇA!

MORDIEU! CES FOLIES INCENDIAIRES VONT NOUS ÉTOUFFER TOUT DE BON!

TIRONS PAR LÀ! DANS LE BOSQUET L'AIR EST MOINS VICIÉ DE FUMÉE!

CE ROYAUME NE SENT QUE FEU ET POUDRE! TON "BON HENRI"* AURA LAISSÉ SA MARQUE SUR CE PAYS-CI AVANT QUE DE MONTER VERS LE NORD CETTE NUIT!

ET ALORS! LES ROYAUX ONT BRÛLÉ LE RESTE DE RÉCOLTE! QUE T'IMPORTE! POUR UNE FOIS TU N'Y AS PAS MIS LA MAIN!

CELA NE SERA RIEN! UN MAUVAIS CAILLOU COINCÉ LÀ, SOUS LE SABOT...

ARRANGEONS TA BÊTE ET CAUSONS AVANT QUE D'ALLER PLUS LOIN!

METTONS-NOUS BIEN EN ACCORD MAÎTRE PRITZ! JE NE VEUX POINT LÂCHER CE QUI FUT DÉCIDÉ AVEC LE ROI!

LA GUERRE N'EST-ELLE POINT NOTRE MÉTIER? JE N'OUBLIE PAS, MOI, CE QU'EST NOTRE ÉTAT DE MERCENAIRE!!!

TU SONGES AU GUERDON* COMPAIN! POUR NOTRE MISSION LA BOURSE SERA BIEN FERRÉE... MAIS S'IL EST BESOIN DE TE CONVAINCRE... CAUSONS!

*HENRI IV VOIR TOME 2: L'ATTENTEMENT _ GUERDON: RÉCOMPENSE.

MOI AUSSI CETTE GUERRE M'A GAVÉ DE DÉGOÛTS! ON NE SAIT QUEL PARTI PRENDRE QUI POURRAIT ÊTRE LE BON!

NE PARLES-TU POINT DU PARTI DE DAME JEANNE QUI T'A EN SON POUVOIR?

DAME JEANNE, COMME SORCIÈRE, EST SOUS LE COUP DES LOIS! LES DOMINICAINS N'Y RENONCERONT PAS!

CETTE FEMME EST BIEN HABITÉE PAR LE DIABLE! ELLE T'A PRIS!

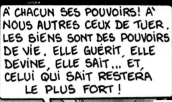

À CHACUN SES POUVOIRS! À NOUS AUTRES CEUX DE TUER, LES SIENS SONT DES POUVOIRS DE VIE. ELLE GUÉRIT, ELLE DEVINE, ELLE SAIT... ET, CELUI QUI SAIT RESTERA LE PLUS FORT!

POURQUOI LUI AVOIR LAISSÉ FORCE JAUNETS, QUI VONT BIEN NOUS MANQUER LÀ OÙ NOUS ALLONS?

CES SAUF-CONDUITS DONNÉS PAR LE ROI VALENT DE L'OR MAÎTRE PRITZ, ET NOUS N'AURONS POINT BESOIN DE TUER POUR L'OBTENIR!

PARTAGEONS CES LETTRES! POUR LES CLICAILLES... SI JE SUIS NAVRÉ TU POURRAS REPRENDRE MA PART! CELA TE CONVIENT-IL?

ET CETTE MISSION CONFIÉE PAR LE NAVARRAIS*?

ELLE M'EST INCONNUE! MAIS UN QUIDAM, DANS PARIS, NOUS LA FERA CONNAÎTRE! AINSI POUR L'HEURE, LA PLUS HIDEUSE TORTURE NE POURRA NOUS FAIRE AVOUER CE QUE NOUS NE SAVONS PAS ENCORE...

...VIENS-T'EN L'AMI! NE ME GOURMANDE PAS PLUS. NOUS NOUS DEVONS LA VIE! CELA VAUT BIEN DE CONTINUER ENSEMBLE! QUE POURRIONS NOUS FAIRE D'AUTRE?

ALORS MARCHONS! LES VOLONTÉS DES ROIS SONT INSONDABLES! MAIS, FAIRE L'ESPION N'EST POINT MON FAIT. PAR LE DIABLE, FAUDRA-T-IL QUE J'Y LAISSE MON NOM?!

HAHAHAHA ...EN ROUTE PRITZ!

*VOIR TOME2 : L'ATTENTEMENT

...ET PARFOIS ON RENCONTRE UN VOL D'OISEAUX SOMBRES PROFITEURS DE GUERRE. ILS ACCOMPAGNENT NOTRE DESTIN...

...ILS SONT LE BIEN ET LE MAL TOUT À LA FOIS, ET ATTENDENT FÉROCEMENT NOTRE FIN DERNIÈRE.

LA MORT EST PASSÉE ICI!

ARRIÈRE, CHAROGNARDS! EN VOILÀ BIEN QUE RIEN N'ARRÊTE DE POURSUIVRE LEUR SALE BESOGNE!!!

DONNERWETTER!* CELUI-LÀ N'EST PLUS DU ROYAUME DES HUMAINS!!!

MAÎTRE PRITZ DÉCROCHONS CE GOBIER!

ASSEZ DE TEMPS PERDU! CES CORBEAUX FERONT PLACE NETTE!!!

WOUIINNFFF

??!?

CORNE DE BOEUF! COMME DISENT LES FRANÇAIS, IL Y A ICI UN VIF QUI SE CACHE!

NON! NE LE TOUCHEZ PAS!

*EN ALLEMAND: TONNERRE!

DIABLE! UNE FEMELLE! ET AVEC UN MARMOT TOUT NEUF!

DU CALME! NOUS NE TE VOULONS POINT DE MAL ...TE VOICI BIEN ARRANGÉE!...

TOUS DES FORCE-NÉS...UNE VRAIE HORREUR DE SANG!!! PARTOUT!

ILS M'ONT FORCÉE*...ILS ONT TUÉ ARMAND, MON HOMME, QUI VOULAIT ME DÉFENDRE... AU NOM DU ROI ...QU'ILS DISAIENT...

...ILS ÉTAIENT COMME DES... SAUVAGES. PAR LA PEUR, ET LA COLÈRE, J'AI ÉTÉ DÉLIVRÉE, TOUT D'UN COUP, DU PETIOT...

...ILS RIAIENT, CRIAIENT AVEC MOI! LES MAUDITS...POUR SE MOQUER...

HA HA HA! LA VIE A QUITTÉ LE PÈRE... MAIS TU AS GAGNÉ UNE AUTRE VIE! DE QUOI TE PLAINS-TU? ÇA FERA LA MÊME TABLÉE! HA HA HA!

MON HOMME...PORTEZ-LE EN TERRE, QUE DIEU LE CONNAISSE, CAR, C'ÉTAIT UNE BONNE ÂME...

CELA N'A PAS SUFFI... POUR QU'IL SOIT ÉPARGNÉ! PRITZ, FAIS CE QU'ELLE DE-MANDE ET FILONS D'ICI!

DIS-MOI OÙ SONT LES TIENS. NOUS ALLONS T'Y CONDUIRE.

MES PARENTS... UNE FERME...

...À UNE LIEUE D'ICI, SUR LA ROUTE DE MAGNY...

CE VOYAGE COMMENCE À RECULONS!..

MAÎTRE PRITZ, ARRÊTE TA CHANSON! CETTE GUERRE N'EST PAS PRÈS DE SA FIN....

...NOUS LA RETROUVERONS ASSEZ TÔT... À LA PREMIÈRE TRAVERSE!!!

* VIOLÉE

7

*VOIR TOME 2 "L'ATTENTEMENT"

8

COMMENT LE NOMMERAS-TU ?

JE NE SAIS PAS ENCORE...

APPROCHE BERTRANDE !

NOUS L'APPELLERONS ARMAND...

...ALLONS, BOIRE À LA SANTÉ DE MON PETIT-FILS... ET, PAIX À L'ÂME DE SON PÈRE !

WOUINN WOUINN

POUR SÛR, C'EST UN BLANCPAIN !

IL FAUT COMPRENDRE LEUR TERREUR EN VOUS VOYANT ARRIVER ! CE SONT LÀ DE PAUVRES GENS, MOLESTÉS, BLESSÉS PAR LES ROYAUX AVIDES DE NOURRITURE ET DE CHEVAUX. ILS SONT VENUS SE RÉFUGIER ICI...

JE SAIS LOUIS... JE SAIS... CONTE- MOI PLUTÔT TON AVENTURE...

NOUS AVONS QUITTÉ GISORS PAR DES VOIES DÉTOURNÉES. DANS LA CAMPAGNE LE MOINE A TIRÉ FORT SUR LA BRIDE...

LE CHEVAL S'EST ENTAILLÉ LA PATTE SUR UNE PIERRE ! PLUSIEURS FOIS JE ME SUIS DÉBATTU POUR LE RETARDER, M'EN-SAUVER. C'EST UNE FORCE CET HOMME-LÀ... ET, TOUT D'UN COUP IL M'A FRAPPÉ, JE ME SUIS ÉVANOUI...

AH... MON BRAVE MOINE ! QUE FAITES-VOUS EN TEL ÉQUIPAGE PAR CES TEMPS DE MEURTRERIES ? HIER CÉANS NOUS ÉTIONS ASSAILLIS DE SOLDATS ET...

JE N'AI POINT DE TEMPS POUR T'ÉCOUTER ! OCCUPE-TOI DE MA BÊTE ET SURTOUT C'EN EST UNE AUTRE BIEN VAILLANTE QU'IL ME FAUDRAIT.

9

...TU ES UN BON CHRÉTIEN? DONNE-MOI UN CHEVAL! TIENS! JE TE L'ACHÈTE! TON PRIX SERA LE MIEN. JE DOIS ÊTRE EN **PARIS** AU PLUS TÔT! JE TE LAISSE MA FORTUNE POUR UNE BONNE MONTURE!

DE L'OR! SÛR, POUR DE L'OR EN QUANTITÉ, QUE NE FERAIS-JE POUR VOUS SERVIR! LAS! JE N'AI RIEN À VENDRE ...LES SOLDATS ONT TOUT PRIS!

MÂTIN! ALLEZ! PANSE-LE AU PLUS VITE!

ON NE PEUT GUÈRE PLUS!! ET VOUS N'IREZ PAS...AUSSI LOIN QUE VOUS LE CROYEZ!

...EH BIEN, JE TE LAISSE LE GARÇON! IL ME GÊNE...ET, MA BOURSE AVEC...N'ÉCOUTE POINT TROP CE QU'IL RACONTE. JE L'AI TROUVÉ ERRANT COMME UN FOU. IL MAUDIT LES PRÊTRES DÈS QU'IL OUVRE LA BOUCHE. QUE DIEU LUI PARDONNE!

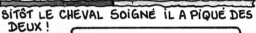

SITÔT LE CHEVAL SOIGNÉ IL A PIQUÉ DES DEUX!

CE CHEVAL NE VAUT PAS DIX ÉCUS ET, C'EST SOLDE QU'IL ME LÂCHE! CE ROBIN-LÀ N'A PAS BONNE CONSCIENCE, IL VEUT METTRE DE L'EAU ENTRE LUI ET CETTE CONTRÉE!

SA BÊTE PEUT-ELLE LE MENER JUSQU'EN **PARIS**?

ASSURÉMENT PAS! IL PEUT L'ÉCHANGER À **PONTOISE**... MAIS, IRA-T-ELLE AUSSI LOIN?

PONTOISE? IL L'ÉVITERA! LA VILLE EST AUX ROYAUX DEPUIS JUILLET!

FOIN DU MOINE! TRINQUONS À MA FILLE ET SON MARMOT!!!

TU VOIS MA DOUCE, TON PÈRE EST UN BRAVE CŒUR, QUOIQUE TU EN PENSES!

TE VOICI UN PEU LAVÉE DE TES MALHEURS. C'EST NOUVELLE VIE QUI COMMENCE POUR TOI!

NOURRICE, IL FAUT QUE TU PRENNES SOIN DE LUI COMME TU LE FIS POUR MOI!

TU NOUS AS RENDUS À LA VIE, SOLDAT! JE NE L'OUBLIERAI PAS! MAIS CELA N'EFFACE POINT QUE LES TIENS ONT TUÉ MON HOMME!

VOTRE DIEU NE COMMANDE-T-IL PAS À TOUTES NOS ACTIONS? IL APPORTE LA VIE À CERTAINS, EFFORTS ET DOULEURS À D'AUTRES! MOI, QUAND JE MOURRAI, PERSONNE NE ME PLAINDRA!

GUNTHER A RAISON LOUIS! IL TE FAUT RETOURNER PRÈS DE DAME JEANNE POUR VEILLER À SES BESOINS!

PLUS TARD DANS L'APRÈS-MIDI ...

POURQUOI NE PAS AVOIR EMPORTÉ QUELQUES MUNITIONS DE GUEULE!

CES GENS NE NOUS AIMENT POINT. ILS NOUS DÉNONCE-RONT À LA PRE-MIÈRE OCCASION! TAILLONS LA ROUTE PRITZ!

SI LE SOLDAT NE PREND RIEN, QUI LE NOURRIRA? LA PEUR DE SAISIR UN PEU, N'EMPÊCHE PAS DE SE FAIRE DONNER LE PAIN ET L'EAU PAR CES CHICHE-FACES*

NOUS JOUE-RONS LES BRETTEURS DANS QUEL-QUE AUBER-GE MOINS HOSTILE ...

...NE SOMMES-NOUS POINT COUSUS D'OR? ET PUIS...NOS BÊTES SONT FATIGUÉES! REGARDE...

...CE QUIDAM... C'EST LA PRO-VIDENCE DU CAVALIER PERDU!

HOLÀ! COQUART!

!

NOUS NE VOULONS QUE DES BONNES PAROLES! RIEN DE PLUS!

PAS DE PEUR PANIQUE MORDIEU!

NON... NON... PITIÉ MONSIEUR!!!

C'EST UNE AUBERGE QU'IL NOUS FAUT!

LÀ... LÀ-DEVANT... À DEUX LIEUES! UNE GARGOTE!

LE BOUGRE N'A PAS MENTI! UNE NUIT DANS UN LIT N'EST PAS POUR ME DÉPLAIRE, ET BONNE TABLE RÉJOUIT LES BOYAUX!

CE SOIR, GUNTHER, JE TE PRENDS AUX DÉS. SI JE GAGNE, LA PREMIÈRE FILLE D'ICI EST POUR MOI! J'EN AI L'ENVIE QUI ME SERRE LA BRAGUETTE!

* Avare.

11

HUE! DIA!

VAS-TU AVANCER VIEILLE CARNE?!

VOIS! CE BIDET BLESSÉ! CE POURRAIT BIEN ÊTRE...

BON DIEU! LE MOINE ICI?... IL FAUT SAVOIR!

À QUI EST CE CHEVAL?... N'EST-CE POINT UN MOINE QUI LE MONTE?

...

À LA FIN, RÉPONDRAS-TU MARAUD?

JE... JE NE SAIS PAS MOI... ALLEZ VOIR LÀ-DEDANS!...

L'AFFAIRE EST GROSSE! EN VOILÀ DEUX QUI HOUSPILLENT MON GARÇON À PROPOS DU CHEVAL PERDU!...

... ILS VONT NOUS DONNER LA QUESTION! À NOUS DE FAIRE LE GRAND JEU!

METS DONC EN TRAIN TES RIBAUDES YVES!

JE SENS L'ODEUR DES JAUNETS! ON VA TE LES SERVIR, QU'ILS POURRONT PLUS PÉTER DE LONGTEMPS!

NON! IL FAUT LES LAISSER JASER! S'ILS VEULENT DES NOUVELLES, NOUS ALLONS LEUR EN DONNER. JE VEUX SAVOIR CE QU'ILS CHERCHENT... POUR LE CHEVAL... IL EST MIEN, COMPRIS?!

SI C'EST VOTRE BON VOULOIR! MAIS APRÈS, J'EN VEUX MON PROFIT DE CES DEUX-LÀ. J'AI GRAND BESOIN DE ME REFAIRE!

10

12

AH! MES BONS SEIGNEURS !.. QUEL HONNEUR POUR MA MAISON... NE VOUS FIEZ POINT AU DÉCORUM, JE TIENS BONNE TABLÉE ET JOYEUSE COMPAGNIE !

IL TE MANQUERA TOUJOURS DIX MOTS POUR VANTER CE MÉNAGE-CI !

LE CHEVAL BLESSÉ LA', DEHORS, A' QUI EST-IL ?... N'EST-CE POINT UN MOINE QUI TE L'AURAIT LÂCHÉ ?

...JE...

CE CHEVAL M'APPAR-TIENT !!!

ALLEZ COMPAINS, FAITES PLACE ! SANS OFFENSES, NOUS POURRONS CAUSER MIEUX EN DÉCOIFFANT QUELQUES JACQUELINES* ! MONSIEUR A DE QUOI NOUS FAIRE CHANTER LES VÊPRES !

SANS OFFENSES, SI LA RÉPONSE VAUT LA DÉPENSE, JE VEUX BIEN RÉGALER L'ASSEMBLÉE !

VOILA' DE BONNES PAROLES !

JE SENS LA GUEULE QUI ME GAGNE !

...MAIS SI TU VEUX EN PARLER ...

...APPROCHE !

J'Y REVIENS ! CE CHEVAL, VOUS NE LE TIENDRIEZ PAS D'UN MOINE EN CAVALE ??

TU EN TIENS ! AI-JE LA TÊTE POUR FRÉQUENTER CETTE ENGEANCE-LA ?

IN NOMINE PATRIS, ET FILII ET SPIRI-TUS SANCTI !! AMEN !

SOLDAT ! N'EST-CE POINT CE MOINE-CI QUI T'OCCUPE ? FACE-DE-SUIE PEUT T'EN CONSOLER PAR SES FACÉTIES !

JACQUELINE : BOUTEILLE DE VIN.

VA POUR TREIZE!

TU FAIS BEZET! DEUX AS... MAIS CE N'EST POINT LE COUP ANNONCÉ! À TOI PRITZ!

JE ROMPS LE DÉ! JE ME SENS DE LA CHANCE AU POIGNET! LE TREIZE EST ENCORE DEMANDÉ!...ALLEZ PETITS BOUTONS...

ET VOILÀ, C'EST GAGNÉ!....

...J'AI LA RAFLE, AMENEZ LA FERRAILLE ET LA FILLE AVEC!

PSSST, LA MARION, AMÈNE-TOI, C'EST TON GALANT QUI A GAGNÉ!

MERCI FACE-DE-SUIE! JE TE REVAUDRAI ÇA!

TIENS MON AMI, COMME CONVENU, VOICI TON LOT! BIEN ÉTOFFÉ! ...ET LA GARCE A DU MÉTIER...

...ET DE L'USAGE! C'EST UN PIÈGE BIEN TENDU...

...JE REPRENDS LE JEU POUR Y METTRE MA MISE...ET LE DROIT DE METTRE EN PERCE!

QUE NENNI CAVALIER! LE PARI FUT PRIS FACE AU CIEL! MAIS PEUT-ÊTRE NE SAIS-TU PLUS TE CONDUIRE AVEC LES BOUGRESSES!

BON DIEU! JE VAIS MONTRER QUE J'ENFILE AUTANT QU'UN AUTRE! MAIS MOI JE NE PRENDS QUE LES FEMMES QUE JE PAIE!

ET TOI JOLI BLONDIN, LE LIT DES FEMMES NE TE SÉDUIT POINT? VAS-TU COMME UN GARÇON FENDU?

FENDU? EST-IL DES PLAISIRS DÉFENDUS?...

MMFFFF...

...AU RESTE MA BELLE, AVANT QUE D'ÊTRE GRIS, JE VOUDRAIS CONNAÎTRE LA DISTANCE D'ICI À PONTOISE, CAR SI JE DEVAIS Y ALLER SUR LE VENTRE... TRINQUONS!

PONTOISE? LA VILLE EST AUX ROYAUX!

JE SAIS L'AMI MAIS LÀ OÙ SE TROUVE UNE ARMÉE, UN MERCENAIRE PEUT PRENDRE UN EMPLOI... ALORS, VA POUR LE ROI!

13

ALORS BEAU MERCENAIRE, LE CIEL T'EST TOMBÉ SUR LA TÊTE? TE VOILÀ BIEN ACCOMMODÉ!

QUE LA PLUIE CÉLESTE TE LAVE LE CERVEAU ET TE RENDE À LA CONSCIENCE DU MONDE... ASPERGES ME... DOMINE HYSSOPO ET MUNDABOR.

ASSEZ!

TIENS! REPRENDS TES LIARDS! JE NE JOUE PAS AVEC UN MAUVAIS DIABLE QUI NE SAIT POINT PERDRE. JE SAURAI BIEN TE RETROUVER SANS QUE L'ON M'EMPÊCHE D'USER DU COTEL*!..

* COUTEAU

...JE TE LAISSE À TES RIPAILLES ET FORNICATIONS... MOI, JE REPRENDS LE DÉ AVEC DES GENS DE BONNES MANIÈRES!

SANG DIEU! VOILÀ UN PROFIT QUI NE ME COÛTE QUE LE MAL DE LE RAMASSER! JE VEUX BIEN M'EN TORDRE LES REINS, MOI, QUI TANT DE FOIS AI GLANÉ DANS LES CHAMPS POUR N'EN REVENIR PLUS LOURD DE PIERRES QUE DE GRAINS!

CET ARGENT-LÀ EST MAUDIT! IL DOIT RESTER DANS LE JEU. PRENDS LE DÉ AVEC NOUS MON YVES, PUISQUE TU AS DE QUOI!

♫ VORAN ♪ DER ♫ TROMMELBUBE POM POM POM ♪ *

* DEVANT NOUS LE PETIT TAMBOUR ...

15

17

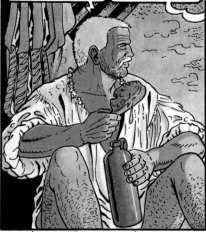

* ÔTER LA ROBE, VIOLER!

18

20

TU AVAIS PARTIE LIÉE AVEC CES TIREURS DE LAINE!... JE VAIS TE FAIRE CRACHER BLANC!

JE SUIS UNE VICTIME MOI AUSSI... ET ENCORE, À VOUS, ILS ONT LAISSÉ LÀ VOS HABITS!...

À MOI, ILS M'ONT ENLEVÉ MA RÉJANE, MA BONNE AMIE, SI PROMPTE À LA BESOGNE! POUR VOUS LE DÉBOURS DE CETTE NUIT EST PAYÉ! CE SONT DES PRINCES EN L'ART DE GUEUSERIE!

TIENS-LE FERME GUNTHER! LE FEU VA LUI DÉLIER LA LANGUE!

TU VAS NOUS PARLER DE CES GENS-LÀ QUE TU CONNAIS! ET DES PRATIQUES QUE TU AS AVEC EUX!

PITIÉ... PITIÉ MONSIEUR!

ALORS! OÙ SONT-ILS ALLÉS?... RÉPONDS!!! TU AURAS TÔT LES PIEDS COMME BRANDONS DE SAINT NICOLAS!

NON... NON... PAS ÇA... JE NE SAIS RIEN! ILS ONT TOUT PRIS! MÊME LES CHEVAUX!... N'Y LAISSANT QUE LE CHEVAL PERDU.... QUE... AÏEAÏEAÏE...

...QUE JE VOUS DONNE DE BON COEUR!

AAAAHHH

PITIÉ MES SEIGNEURS!!!

PUISQU'ILS T'ONT PAYÉ, TU VAS NOUS RENDRE LES CLICAILLES PRISES PAR TRAÎTRISE!!! IL Y VA DE TA VIE!

OUI, OUI MES... SEIGNEURS... VOUS ME LAISSEZ NU COMME MON CRÂNE! QUELLE ÉPOQUE!

VOIS PRITZ, NOUS NE SOMMES POINT TOUT À FAIT ABANDONNÉS!

SON COEUR DÉMENT SON BEC!!! AU DIABLE! CHEVAL FÉLON!!!

JE SENS QUE JE POURRAIS BOIRE UN SETIER DE BIÈRE SANS M'ARRÊTER, QUAND BIEN MÊME JE SERAIS CONDUIT SUR LE CHEMIN DE LA MORT !

LES OCCASIONS DE MOURIR NE MANQUENT PAS COMPÈRE ! CÉANS, POUR TA GARDE, IL N'Y A QUE DE L'EAU !

ASSEZ BARGUIGNÉ ! AVANT DE LA BOIRE TOUTE, DONNE DE TON EAU SUR MA CARCASSE ! J'ÉTOUFFE !

VOILÀ DU MONDE ! ET, PAS TRÈS FENDANT ! CES DEUX-LÀ SENTENT LA DÉROUTE !

TIENS, TIENS, OU LE SOLEIL M'A TOURNEBOULÉ LA CERVELLE OU CET ARRIVAGE EST CELUI ATTENDU !

PFF... MON DERNIER ÉCU... POUR L'EAU D'UNE FONTAINE OÙ JE PUISSE ME ROULER !!!

IL FAUT ME RETENIR CES GAILLARDS ! LA CONTRÉE FOURMILLE D'ESPIONS !!! ACCOISEZ-VOUS TOUS, JE SAIS LES QUESTIONS QU'IL FAUT LEUR POSER !

C'EST TON AFFAIRE, MOI, IL ME TARDE PLUTÔT DE NÉGOCIER POUR UN CHEVAL !

IL NOUS FAUDRAIT SLEIPNIR* POUR NOUS ARRACHER À CE CHAUDRON D'ENFER !!!

*SLEIPNIR: CHEVAL À 8 PATTES DANS LA MYTHOLOGIE NORDIQUE.

24

EN DOUCEUR, LA PIÉTAILLE! JE ME SENS EN BELLE HUMEUR CE JOUR! ON VA CAUSER, ÇA, ENTRE AMIS...

HÉ LÀ VOUS DEUX, DOUCEMENT HEIN!...

...UN GESTE, ET JE TROUE TA BESACE POUR EN CONNAITRE LE CONTENU!

AINSI ON BAT LA CAMPAGNE? AU MILIEU DE TANT DE DANGERS!... VOS RAISONS!!!? ET... SANS DÉTOURS! CAR NOUS AURONS AFFAIRE ENSEMBLE!

EST-CE UNE RAISON PENDABLE DE MARCHER AU SOLEIL?!

QU'ON LES FOUILLE!

ÊTES-VOUS SOLDATS EN DÉROUTE? LIGUEUX? HUGUENOTS? BOURGEOIS? ESPIONS? EN TEMPS DE GUERRE, ON PEUT ÊTRE TOUT À LA FOIS! MAIS, L'APPARENCE NE FAIT POINT LE FRANC ET HONNÊTE HOMME!!!

"À TOUS, VOUS DONNEREZ LICENCE POUR LIVRER PASSAGE, AIDE, PROTECTION, OBÉISSANCE AU DÉTENTEUR DU PRÉSENT AVIS, AGISSANT POUR MOI ET LE BIEN DU ROYAUME"...ET C'EST PARAPHÉ, CHARLES* ROI DE FRANCE PAR LA GRÂCE DE DIEU...

ET L'AUTRE EST PARAPHÉ...HENRI ROI DE FRANCE...

BON DIEU! JE N'AI PAS PRIS GARDE AUX PARAPHES!..LE MOINE AVAIT SES ENTRÉES PARTOUT!

* CHARLES (X) PROCLAMÉ ROI PAR LA LIGUE . * VOIR TOME 1 et 2

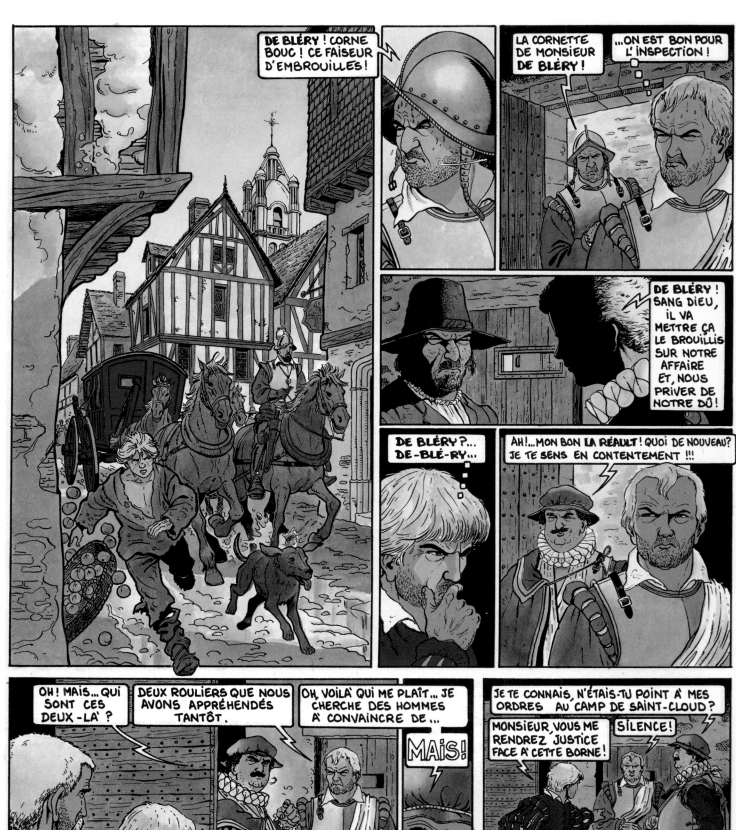

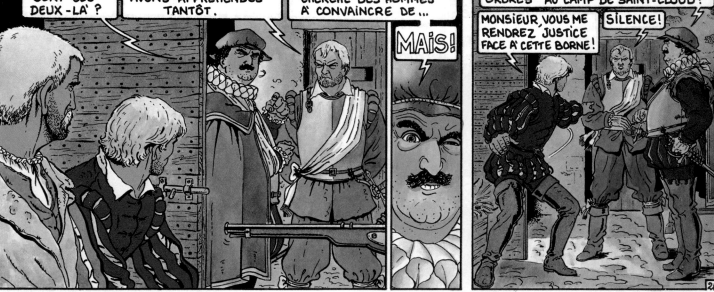

BIEN! VOILÀ DEUX RECRUES VIVEMENT GAGNÉES PUISQU'ILS SONT DE CHEZ NOUS! ET LUI, EST OFFICIER MERCENAIRE!

ASSIS!!!

ET LA DOTATION? ILS SONT DE BONNE PRISE!

POINT D'ARGENT LA RÉAULT! IL EST TROP RARE! FAUT-IL PAYER POUR DES AMIS? ON PEUT ÉCLAIRCIR CE LITIGE AISÉMENT ET...

JE REFUSE! CES HOMMES SONT À MOI! J'EN VEUX MON PRIX!!

J'AI LEVÉ UNE COMPA- GNIE À MES FRAIS! ET, JE RECRUTE DE DROIT POUR MON COMPTE! IL SERAIT DE BONNE GUERRE DE ME RETIRER AVEC CES DEUX-LÀ, JE VENDS AU PLUS OFFRANT!

JE TE CONTRAINDRAI BIEN PAR LA VOLONTÉ DU GOUVERNEUR!

J'ATTENDS LA CONTRAINTE! NOUS VERRONS ALORS QUI L'EMPOR- TERA! POUR L'HEURE JE VAIS LES SERRER AU PLUS PRÈS!

IL EST TEMPS, JE CROIS, D'APPLIQUER NOTRE TRAITÉ! TU ME DOIS LE GAGE DONT NOUS FÎMES NOTRE MARCHÉ!

CERTES, MAIS L'AFFAIRE DEVIENT BROUILLIS! IL RISQUE DE M'EN COÛTER, SANS LE MOINDRE PROFIT, AUSSI POURRIONS- NOUS TRANSIGER!...

BRISONS-LÀ! JE NE T'AI POINT TROMPÉ, TU AS LES DEUX SUSPECTS PROMIS! QU'ON ME PAIE SANS BAR- GUIGNER! POUR LE RESTE, CE N'EST POINT MON AFFAIRE!!!

JE PUIS TE DESSERVIR EN CONTANT LA VÉRITÉ SUR LA CAPTURE DE CES DEUX-LÀ ET, C'EST À MOI SEUL QUE LE GOUVERNEUR COMPTERA LEUR RANÇON... ET, VOUS PASSE- REZ TOUS FACE À LUI LES MAINS VIDES!

BIEN! VOICI TON COMPTE COMME IL ÉTAIT CONVENU! DIEU M'EST TÉMOIN QUE TU NE PEUX PLUS RIEN ME RÉCLAMER DE DROIT!

J'AIME LES AFFAIRES ME- NÉES HONNÊTEMENT ENTRE GENS DE PAROLE! TU SAU- RAS BIEN, DE QUELQUE FAÇON, ATTRAPER LA PROVENDE ET TE REFAIRE!

AVANT QUE DE NOUS QUITTER, IL Y A AUTRE CHOSE! LES LETTRES QUE TU DÉTIENS POURRAIENT M'ÊTRE UTILES.. À TOI, ELLES NE TE SERVIRONT DE RIEN, DONNE-LES MOI!

TON POUVOIR NE VA DONC PAS SI LOIN QUE TU VEUILLES CES LETTRES POUR TA SÛRETÉ ! TU VEUX ALLER EN PARIS, QUI EST TANT FERMÉ QU'UN CHAT NE PEUT Y ENTRER OU EN SORTIR !

IL Y A GROS DANGER POUR MOI A' T'Y AIDER... A' MON TOUR DE FAIRE MON PRIX !

ALLONS, TIENS ! L'AFFAIRE EST FAITE !!!

TU RENTRES DANS TES FONDS ! MAIS IL TE RESTE LE PRINCIPAL A' NÉGOCIER !! NOUS SOMMES DE NOUVEAU ALLIÉS !

MAIS PRENDS GARDE, LA RÉAULT, QUE TA MARCHANDISE NE SE GÂTE ! UNE TROP FORTE ÉMOTION ET...HOP ! UN HOMME MORT NE VAUT RIEN !

ASSIS !

MARAUDS ! VOUS ALLEZ RENDRE GORGE !

QUEL HOMME ES-TU DONC POUR ÊTRE PARTOUT CHEZ TOI ET COMMANDER A' TOUS ?

LA SAILLIE EST PLAISANTE !

CURIEUSES FAÇONS POUR ME DONNER LA MERCI D'AVOIR BAILLÉ TES DETTES A' L'AUBERGE !

VENTRE-DIEU ! JE COMPTE BIEN TE RENDRE LE DÉBOURS AVEC INTÉRÊT !!

...TIENS, JE VAIS ÊTRE BON PRINCE ET T'ÔTER D'UN DOUTE... LE MOINE QUE TU CHERCHES, JEAN LOUVEL, M'A CONVAINCU DE L'AIDER DANS SA FUITE ! MON ÂME Y A GAGNÉ, PROU, LA RÉMISSION DE MES PÉCHÉS...

!!!

28

30

ASSEZ DE VOS CHANSONS! LA PICORÉE EST FAITE... "BON PRINCE"! HORS D'ICI !!!

ET... QU'ON EMMÈNE CES DEUX SOTTARDS À LA TOUR DE FRICHE !!!

EN ROUTE POUR LE GRAND TROU!

AUX BONS SOINS DU GROS PUCEAU! IL CONNAÎT SON AFFAIRE... HA HA HA HA ....

GARE, GROS PUCEAU! J'APPORTE DEUX FILS D'ALLEMAGNE! GARDE-LES VIFS AUSSI LONG-TEMPS QU'IL FAUDRA !!!

J'EN PRENDRAI SOIN AUTANT QUE DE MON ÂME ...

...ALLEZ, JOLI BÉTAIL! J'AI LA' UN BON GARNI BIEN FRAIS BAILLÉ PAR LE ROI !!!

31

POUR TENIR LA FOI JUSQU'AU CIEL, ARROSE-NOUS DONC DE MON VIN BÉNI !

J'EN DESCENDS UN FIN SEAU, QU'AVANT MÁTIN TU PASSERAS LE FLEUVE D'IVROGNERIE HA HA HA HA !

IMPIES ! MALHEUR À CEUX QUI MEURENT EN PÉCHÉ MORTEL !

SI NOUS DEVIONS APPROCHER LA CAMARDE, QUE CE SOIT L'ESPRIT DÉLIÉ DU BROUILLIS OÙ NOUS SOMMES !... UN MOINE EN FUITE, NOTRE COURSE BRISÉE, UN QUIDAM ÉTOFFÉ QUI GOUVERNE À TOUS ET PAIE UNE FORTUNE UN SAUF-CONDUIT POUR ENTRER EN PARIS LIGUEUX ET...TOI QUI FAIS LE DÉMENT....

TA MISSION EST CHARGÉE D'ÉPREUVES COMME TOUTE VIE. LE MYSTÈRE S'ÉCLAIRCIRA BIEN ASSEZ TÔT... IL FAUT T'Y APPRÊTER !

LA PAIX CURÉ !!!

J'AMÈNE TON VIN DE MESSE ! BOIS LE SANG DU CHRIST ! CELA PASSE MIEUX QUE TOUS LES SERMONS ! TU EN AURAS LE PLUS GRAND BESOIN...

LÀ OÙ JE TE CONDUIS !

QU'EST-CE ENCORE ? POURQUOI CES VIOLENCES ?

SANS CETTE PRATIQUE IL NE S'ENSOMMEILLE JAMAIS ! AINSI IL NE PARLERA PAS ! ALLEZ, DEBOUT VOUS DEUX FACE CONTRE LE MUR !!!

35

... LE PLUS FORT EST FAIT! J'ENTENDS LES CLICAILLES QUI SONNENT!

SAINTE CHIETTE! C'EST CHARGEMENT DE GRENAILLE QU'ILS NOUS FONT RAMENER... ET CONTRE LE COURANT! J'EN CRÈVE!!!

QUE NENNI! DE LA BONNE CHAIR FRAÎCHE! LE TEMPS N'EST PAS À CAUSER! TIRE SUR TES BRAS!....

VOUS VOILÀ SORTIS DE VOS PRIMES MISÈRES!

SOYEZ LES BIENVENUS COMPAINS! PRESSONS! LE VOYAGE N'EST PAS TERMINÉ!

ASSEZ DE MYSTÈRES! À QUI ÊTES-VOUS?

LA RAGE ME TIENT DE VOUS DÉFONCER LA FACE!!!

TOUT DOUX MON BON! "HABILLÉ" COMME TU ES, UN PLONGEON... ET LA MORT TE RECOUVRE! ALLONS... EN AVANT! NOUS TE VOULONS BIEN VIF!

TIENS MON GROS, PRENDS TON RESTE! TU PEUX RENTRER SOUS TA COUETTE...

À TON SERVICE! J'AI D'AUTRES CHAROGNES À TE VENDRE!

LE GROS PUCEAU EST À L'HEURE! L'ARCHANGE EST ADMIRABLE DE PUISSANCE SUR TOUS!

* EXPLICATION

TIRONS PAR LA'... JE N'AI POINT PARTIE LIÉE AVEC LE MOINE QUE TU SEMBLES CHERCHER, MAIS, JE LUI AI CÉDÉ A' PRIX D'OR UN CHEVAL NEUF, TANT DÉSIREUX QU'IL ÉTAIT DE RENTRER DANS PARIS...

...IL M'A DÉCRIT VOS DEUX FACES... QU'ON EN VOULAIT A' SA BURE, ET LE TRAÎNER JUSQU'A' L'ENFER... TES QUESTIONS A' L'AUBERGE ONT TOUT ÉCLAIRÉ...

QUE T'IMPORTAIT CE DIFFÉREND! POURQUOI NOUS AVOIR DÉPOUILLÉS JUSQU'AUX TRIPES EN NOUS LAISSANT NOS SAUF-CONDUITS?

A' GISORS, MAÎTRE CORBIER, EN SON AUBERGE A PARLÉ A' L'UN DE MES AFFIDÉS QUE J'Y AVAIS MIS. IL ÉTAIT COUVERT DE PEUR. APRÈS FORCE TOSTÉES, MON VIEUX RENARD A SU QUE LA VILLE AVAIT A' FAIRE   AU ROI...

* VOIR TOME 2 : L'ATTENTEMENT

...ET QUE LE ROI AVAIT A' FAIRE A' UNE COUREUSE DE REMPART*... ET, QU'IL ÉTAIT SERRÉ PAR UNE BANDE DE PIEDS-GRIS!

* PROSTITUÉE

LA MERCI A' TOI L'AMI !.. DE PRÉSENT, TU RESTES A' PONTOISE POUR Y CONDUIRE MES INTÉRÊTS !!! FINE-ÉPÉE, SONNE LE BOUTE-SELLE !!!

PAS SI VITE ! IL MANQUE ENCORE DES MAILLONS POUR FAIRE MON COMPTE ! IL FAUT QUE MA VIE TE SOIT D'UN GRAND PRIX, QUE TU VEUILLES AINSI ME PRÉSERVER!

CERTES! RETIENS TON COEUR, CAR LA'-DEDANS IL Y A UNE SURPRISE QUI TE TEND LES BRAS !!!

MORDIABLE! PERNETTE! GOURGANDINE... ICI, PAR QUELLE MAGIE??

TOUT DOUX MON BON! ICI TU N'ES POINT LE MAITRE! JE POURRAIS AUSSI BIEN T'ARRACHER LES YEUX!!!

TU NE FERAS RIEN QUE JE N'AIE DÉCIDÉ! LE MAITRE C'EST MOI! SOUVIENS-T'EN!

ALLEZ! FOUETTE COCHER!

YAAOoo!

...AU DÉPARTIR DU NAVARRAIS, MON RENARD A SAISI CELLE-LA' ET, A' BRIDES REDOUBLÉES NOUS A JOINTS DANS LA NUIT A' L'AUBERGE DU FAYEL, PENDANT QUE TU FAISAIS LA BÊTE A' DEUX DOS. ELLE A PARLÉ... LE ROI, L'OR, LES PAPIERS, LE MOINE CORBIER, VOUS DEUX... LE CIEL S'OUVRAIT DEVANT MOI... TA VIE AVAIT SON PRIX!

♪ ADJUTORIUM NOSTRUM IN NOMINE DOMINI ♪♪

A-T-ELLE DIT QU'ELLE VOULAIT ATTENTER A' LA VIE DU ROI SUR ORDRE DU MOINE??

MENTERIES! MENTERIES!

♪♪ QUIA RESPEXIT HUMILITATEM ANCILLAE SUAE ECCE ENIM EX HOC BEATAM ME DICENT OMNES GENERATIONES * ♪♪♪

POURQUOI NOUS AVOIR LAISSÉS COURIR?

* PARCE QU'IL A REGARDÉ L'HUMILITÉ DE SA SERVANTE TOUTES LES GÉNÉRATIONS M'APPELLERONT BIENHEUREUSE...

PONTOISE ÉTAIT JA' AUX ROYAUX! J'Y AVAIS PEU DE MONDE, ASSEZ POURTANT, A' LA PORTE D'ENNERY POUR ARRANGER VOTRE PRISE! DE BLÉRY A FAILLI TOUT COMPROMETTRE!

"DEPOSUIT" POTENTES ♪♪ DE ♪♪ SEDE ♪

FACE-DE-SUIE, TU NOUS BRISES LES OREILLES! A' LA PARFIN TU NE FERAS PEUR QU'AUX OISEAUX!!!

37

39

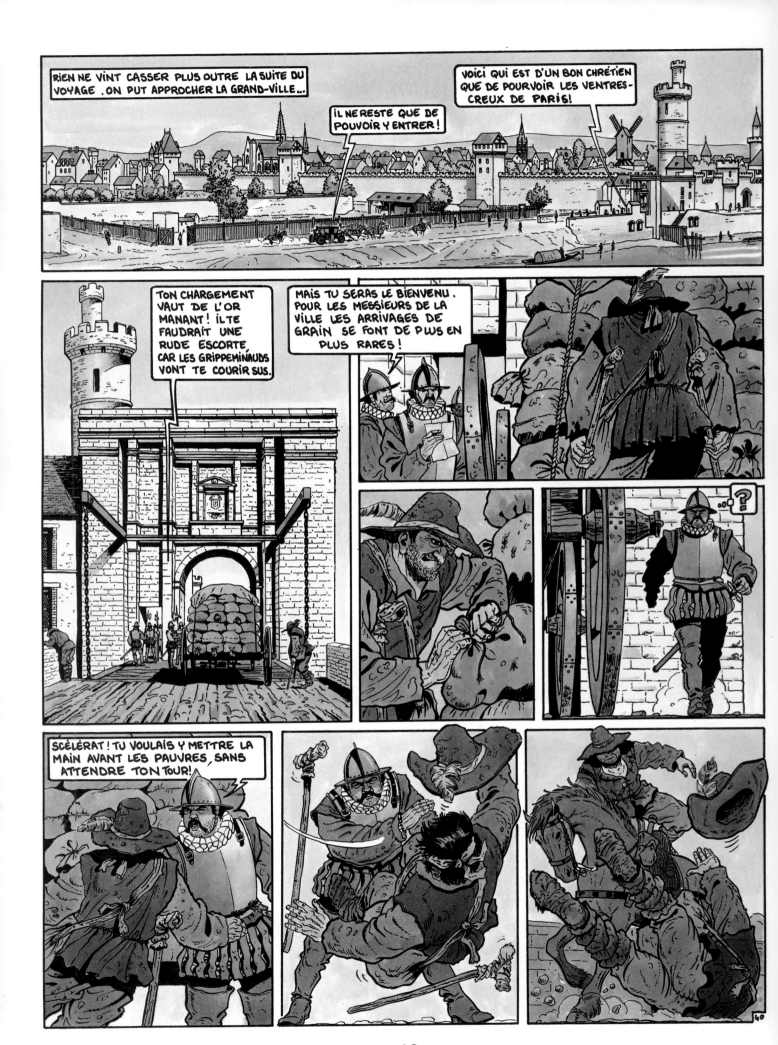

42

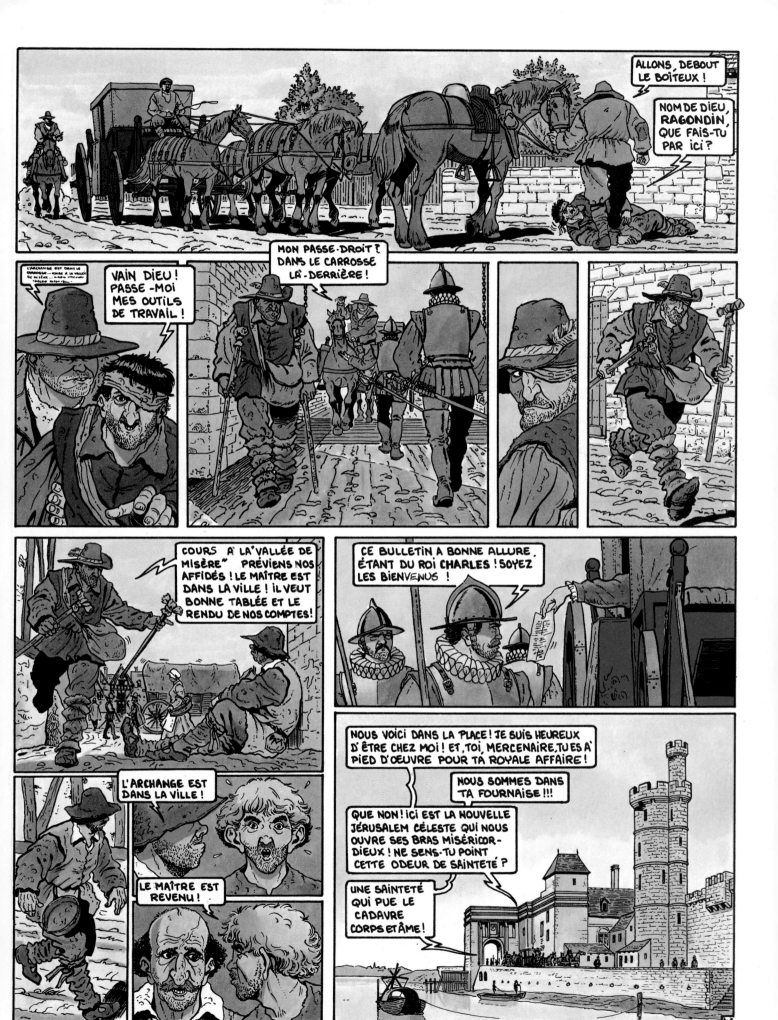

43

* JE M'APPROCHE DE L'AUTEL DE DIEU QUI RÉJOUIT MA JEUNESSE.

OYEZ, OYEZ, BRAVES TIRE-LAINE, MAROUFLES, CROCHETEURS, PIEDS-GRIS, BROCANTEURS DE GALANTERIES ET FILLES PERDUES, VOTRE VÉNÉRÉ MAÎTRE, L'ARCHANGE, VOUS EST RENDU ! FAITES-LUI PLACE !!!

VILLE GAGNÉE POUR L'ARCHANGE !!

DONNONS-LUI LA COMÉDIE DES RETROUVAILLES À EN PÉTER COMME DES ROUSSINS !

MORDIABLE ! QU'ON DRESSE BONNE TABLÉE AFIN DE RÉGALER NOTRE PÈRE PRODIGUE ! LE ROI DES GUEUX !

QU'ON ÉCLAIRE SON FRONT, SES LÈVRES, QUE SES BEAUTÉS PARAISSENT À NOS YEUX !

AH ! QU'IL ME DEMANDE CETTE NUIT DE FAIRE LA CHÈVRE, POUR LUI JE LE FERAI !

QUE MA MUSIQUE RÉJOUISSE LES COEURS !

TU NE ME PRENDRAS PAS PAR LE BEC COMME PERNETTE ! QUI ES-TU À LA PARFIN ? QUELLE EST CETTE COUR DE CHAPEAUX GRAS ? TA PAROISSE EST AILLEURS ! À QUI COMMANDES-TU ? À QUI OBÉIS-TU ?

NE TE LAISSES-TU POINT MENER PAR LE CONNIN D'UNE FEMME ET LA GUEULE D'UN ROI ?

SI JE RÈGNE SUR LA VALLÉE DE MISÈRE, SUR LES FOUS DE PARIS, JE TE SERAI UTILE ! ILS LABOURENT, RATISSENT, PERVERTISSENT ET ESPIONNENT POUR MOI ! ILS SERVENT MIEUX LA SOCIÉTÉ QUE TOUS LES VRAIS POUVOIRS, ILS PERMETTENT QU'ELLE TIENNE DEBOUT ! SANS EUX JE NE SUIS RIEN, SANS MOI, ILS N'ONT QUE LE CUL !

JE FAIS L'ACCORDAILLE DES CONTRAIRES, JE POUSSE AU TRAIN DU PLUS FORT, CEUX QUE J'AURAI AIDÉS VONT M'ABSOUDRE. ALORS ILS ME CONNAÎTRONT ET VERRONT MA PUISSANCE ! CEUX DE LA NUIT, LES AFFLIGÉS, LES PAUVRES VONT PARAÎTRE AU GRAND JOUR ET RÉCLAMER JUSTICE AUX MAUVAIS PRINCES QUI ONT MENÉ CE ROYAUME PRÈS DE MALEFOSSE !

44

NE CRAINS-TU POINT DE PERDRE ET DE ME PERDRE AUSSI CAR, J'Y METTRAI TOUT MON COURAGE!

TU AS TA CHANCE, MAQUIGNON DU ROI... NOUS VERRONS BIEN QUI GAGNERA! DÈS À PRÉSENT TU ES LIBRE DE COURIR LA VILLE!

AH! MAÎTRE ANDRÉ DE CLERMONT, * QUAND ACHÈVERAS-TU MON PORTRAIT?

DUSSÉ-JE ME PRIVER DES PLAISIRS DE LA CHAIR, TU L'AURAS DÈS LA PIQUE DU JOUR!!!

PARI TENU!!! FACE.DE.SUIE, SONNE LE BOUTE-SELLE DE LA FÊTE!

P A N

DONNEZ LE BRANLE MUSICIENS!

* TOUTE RESSEMBLANCE AVEC UNE PERSONNE EXISTANTE EST TOUT À FAIT FORTUITE

ET TOI, FRITZ, TU NE DIS MOT À TOUT CELA!

OH! MOI J'AI DONNÉ MON SENTIMENT, J'À DEPUIS LONG-TEMPS L'AVENIR EST À VOUS!

MES AMIS, DE PRIME, PRE-NEZ VOS PLAISIRS CAR NOUS AURONS TANTÔT NOTRE PLEIN DE PÉCHÉS! QUIESCENDO FIT ANIMA PRUDENS *

MOI, JE ME RETIRE EN MA CHAMBRE!

* EN SE REPOSANT ON DEVIENT PRUDENT...

TU TE PERDRAS PERNETTE

MOINS QUE TOI! MON DESTIN N'EST PAS AUPRÈS D'UN LÂCHE ET D'UN RENÉGAT! FÛT-IL LE DIABLE. IL AURA, LUI, CE QUE TU N'AS POINT SU PRENDRE!

45